不一样的卡梅拉 10

★ ★ ★ ★ ★

我要救出贝里奥

［法］克利斯提昂·约里波瓦 / 文　　　［法］克利斯提昂·艾利施 / 图

郑迪蔚 / 译

21 二十一世纪出版社集团
21st Century Publishing Group　南极熊

克利斯提昂·约里波瓦（Christian Jolibois）今年已经有 352 岁啦，他的妈妈是爱尔兰仙女，这可是个秘密哦。他可以不知疲倦地编出一串接一串异想天开的故事来。为了专心致志地写故事，他把自己的"泰诺号"三桅船暂时停靠在了勃艮第的一个小村庄旁边。他还常常到村庄里去和小猪、大树、玫瑰花和小鸡们在一块儿聊天玩耍。

克利斯提昂·艾利施（Christian Heinrich）他是一只勤奋的小鸟，同时还是一位喜欢到处涂涂抹抹的水彩画家。他有一大把看起来很酷的秃头画笔，他带着自己小小的素描本去过许多没人知道的地方。如今他在斯特拉斯堡工作，整天幻想着去海边和鸬鹚聊天。

获奖纪录：
2001 年法国瑟堡青少年图书大奖
2003 年法国高柯儿童文学大奖
2003 年法国乡村儿童文学大奖
2006 年法国阿弗尔儿童文学评审团奖

图书在版编目（CIP）数据

我要救出贝里奥 /（法）约里波瓦著；
（法）艾利施图；郑迪蔚译 .
一南昌：二十一世纪出版社集团，
2010.4（2018.11 重印）
（不一样的卡梅拉）
ISBN 978–7–5391–5593–7

Ⅰ . 我 ... Ⅱ .①约 ...②艾 ...③郑 ...
Ⅲ . 图画故事 – 法国 – 现代 Ⅳ .I565.85

中国版本图书馆 CIP 数据核字（2010）第 053061 号

我要救出贝里奥

作　　者　（法）克利斯提昂·约里波瓦 / 文
　　　　　（法）克利斯提昂·艾利施 / 图
译　　者　郑迪蔚
策　　划　张秋林
责任编辑　黄　震　陈静瑶　　**美术编辑**　敖　翔
出版发行　二十一世纪出版社集团
　　　　　（www.21cccc.com　cc21@163.net）
出 版 人　张秋林
印　　刷　江西华奥印务有限责任公司
版　　次　2010 年 4 月第 1 版　2013 年 6 月第 2 版
　　　　　2018 年 11 月第 70 次印刷
开　　本　800mm×1250mm 1/32　印 张　1.5
书　　号　ISBN 978–7–5391–5593–7
定　　价　10.00 元

本社地址：江西省南昌市子安路75号　330009（如发现印装质量问题，请寄本社图书发行部调换 0791-86512056）

致鲍勃，永远自以为是的家伙，为了我们的友谊，我的好哥们儿。

——克利斯提昂·约里波瓦

致皮埃尔，骑着自行车到处招摇的小魔头，健壮得像块石头。

——克利斯提昂·艾利施

农场里，现在正是剪羊毛的时间。

小鸡们可找到机会看热闹了，他们在一旁尽情嘲笑。国王的羊倌挥舞着大剪刀，一边剪厚厚的羊毛一边扯着破嗓子唱道：

　　剪呀剪，剪羊毛。小乖乖，不要跑。我剪呀剪，剪呀剪！一个个光屁股，真难看呀，真难看。

眼看就要轮到贝里奥了，这可怜的小子。

"不，我不要去！我绝不要光着屁股！多难看呀！"

卡门和卡梅利多是不可能看着哥们儿遇到危难而见死不救的。

"嘿，贝里奥！从这儿过来，快！"

刚一钻出木栅栏，贝里奥便跑得比兔子还快。

"等等我们！"卡门在后面大喊。

听到这边的叫嚷声，小鸡们全都围过来看个究竟。

"他碰到狼了？"小胖墩问。

"不，不是，是一群剪羊毛的羊倌，看上了贝里奥这身无与伦比的羊毛。"卡门回答道。

"羊倌想用贝里奥这身美丽的羊毛，做一条贴身保暖的裤子献给国王。"卡梅利多接着说。

"能为国王陛下的屁股保暖，是多么荣幸呀！"鸬鹚佩罗激动地说。

小胖墩和小刺头不怀好意地大笑："国王陛下屁股的暖和全靠贝里奥这身好羊毛了！哈哈！哈哈！"

哦！

突然，在一旁把风的鼻涕虫喊道："已经剪到22号了！"

这对贝里奥的打击实在是太大了："为什么呀？为什么这倒霉事就该轮到我?！"

"贝里奥，你是我最好的朋友，我绝不会丢下你不管！跟我来，我知道一个很好的藏身处，到了那儿你就不用害怕了……"

"……在那里，他们永远都没有胆子来找你！"
"我来带路，快走！"卡门说。

太阳快下山的时候，三个逃亡者终于来到了一片神秘的巨石林。

相传，很久很久以前，被施了魔法的巨人变成了石头，沉睡在这里……

于是，这里变成了超级恐怖的地方。

"到这儿你就安全了。"卡门说。

贝里奥还是有些担心："可是哪儿能找到吃的呢？"

"放心，我记着呢，我带了一块非常棒的皇家奶酪。"卡梅利多得意地举起包袱。

他们在巨石林里找到一处背风的地方。卡梅利多马上收拾出了一个温暖舒适的小窝，而贝里奥完全沉浸在皇家奶酪的香气中！

　　"哇……馋死我了！"

　　"嘿，这可是我们的早餐呢！"
　　卡门一把夺下奶酪跑了出去……

　　"挨着这么臭的东西，晚上怎么睡觉呀！"

在不远处，卡门发现了一张大石桌，这是放奶酪最完美的地方，就让它在石桌上慢慢散发臭味吧。

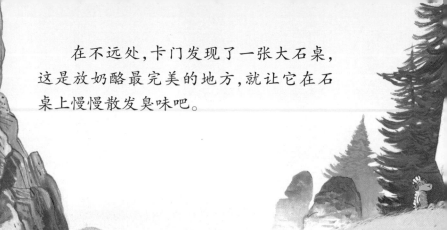

卡梅利多和卡门幸福极了，帮助朋友让他们的心中充满了快乐……

静静的夜空中繁星闪烁，天气有点转凉了，
三个形影不离的好朋友紧紧地靠在一起。

这时，从森林深处走出两个浑身是毛、面目狰狞的巨大树妖，他们迈着沉重的脚步，不时四下张望。他们正在寻找传说中的——金羊毛！

　　"我们不能离巨石林太远。"一个怪物瓮声瓮气地说。

　　"我怎么想不起头儿让咱们来找什么了……"另一个怪物尖声尖气地说。

　　"金羊毛！"瓮声怪物不耐烦地吼道，"每过一千年的今天，在第一缕月光照耀着的某块石板上就有可能找到传说中的金羊毛。只要找到它，咱们就发财了！"

　　"为什么呀？我们不是挺富有了吗？"

　　"我们从来就没有富有过，蠢货！"

皮克和尼克这对刺猬兄弟好不容易等到三个小伙伴睡着了，才费劲地爬上石桌。

　　"只要瞟一眼就知道这是最纯正的奶酪！"哥哥皮克禁不起美食的诱惑，伸手就要去拿……
　　"不行！要让我先来！"

皮克还没来得及碰一下奶酪,就立马变成金色的了。

没等尼克搞明白为什么哥哥会缩成一团倒在地上,自己也被月光晃了一下,变成了一个"金球"。

没过多久,贝里奥被一阵嘈杂声惊醒了,原来是他的肚子在咕噜咕噜怪叫:"黑灯瞎火,饿得发慌,饿死了怎么办?"

这时,他闻到一阵诱人的香气:"绝对是我的最爱……"贝里奥咽了咽口水。

开饭啦！

哇，真香！

砰！

一早醒来,卡门和卡梅利多感到非常不妙……

贝里奥不见了!

他们到处寻找、四下搜索,不放过任何一个角落,大声呼喊着贝里奥的名字。但是,贝里奥彻底失踪了!

"太不可思议了,他是绝不会丢下奶酪就走的……"

"没准儿是国王的羊倌趁着天黑把贝里奥抓走了呢？快，回鸡舍去找！"

在回去的路上，他们碰巧看见两个老朋友。

"我的天哪！皮克、尼克……你们怎么都变成金色的了?！"

两只小刺猬想起来，这就是当年拿着木棍把他俩当高尔夫球打跑的那个卡门，两个小家伙吓得直发抖："我们……我们什么也没干！"

卡梅利多问两个小无赖有没有看见贝里奥。

"看见了，当……当然看见了！他也跟我们一样倒霉，碰了一下那道奇怪的月光，就倒在石桌上变成了金色的！"

"后来太可怕了！"弟弟尼克接着说，"不知从哪儿跳出两个恐怖的树妖！他们把贝里奥装进一个口袋，还说要把最爱吃的羊后腿留作明天的晚餐……"

　　"恐怖的树妖！我的天！贝里奥被绑架了！"卡门和卡梅利多同时大叫起来。

骗你是小狗！

"好了,再见……我们要回凡尔赛宫去,回到我们过去生活的城堡,再见啦,乡巴佬!"

怎样才能从树妖的魔掌里救出可怜的贝里奥呢?
卡门和卡梅利多第一次感到这么无能为力。
他们决定尽快赶回鸡舍,和大家一起想办法。

大家听到这突如其来的噩耗，都惊呆了。怎么办？好朋友贝里奥……温柔、可爱、忠诚、乐观、善良、敏感的贝里奥真的被怪物吃掉了吗？

鸸鹋佩罗尽力安慰着卡门和卡梅利多，小鸡们哭作一团。

卡梅利多满脑子都是和贝里奥在一起的美好时光。

没有贝里奥我们可怎么活呀？

小胖墩擤擤鼻子说:"哭有什么用!伙计们,贝里奥说不定还活着呢!"

佩罗让大家都安静些:"小胖墩说得对!孩子们,千万不要高估那两个怪物的智商。这种夜间行动的家伙有两个致命弱点,首先是他们尤其喜爱金子,他们的财宝箱永远都填不满!只要是看到金色的东西他们就不会放过!"

"至于第二个弱点嘛,就是害怕太阳。阳光是他们的致命伤。他们只能晚上活动白天睡觉,否则就会变成石头!现在,他们应该正在不远处睡觉打呼噜呢!"

听完这些话,小鸡们又重拾信心。"抓住他们,贝里奥就能得救了!"卡梅利多大声地说。

"对,来吧!"小刺头挺起胸膛,"我要把那些怪物剁成肉酱。"

所有的小鸡都凑过来商量如何营救贝里奥。卡门的小脑袋瓜里突然冒出一个主意："先是要靠近他们而不被发现……然后，转移他们的注意力，让他们看到……看到金子。对了，金子！好多好多的金子，堆成一座金山！"

卡门的计划挺大胆的,但是……小鸡们还是很郁闷!除了几个鸡蛋是黄色的,上哪儿去找那么多金子来转移这两个发疯的怪物的注意力?

"烦死了!思考真不是我的长项……"
"我都偏头痛了。"小胖墩抱怨说。

"我想出来了！"卡门突然喊道，"在国王的花园里有一种结满金果子的树！"

　　"啊……虽然我没明白过来，但是我相信你。"卡梅利多说。

　　"卡梅利多，你带着鼻涕虫、小六子、小赖皮去找怪物。我去凡尔赛宫摘金果子！我需要两个强壮的小伙子，小胖墩和小刺头跟我来！"

　　……来吧！为了贝里奥！**团结起来！**

这时,卡梅利多行动队发现了树妖的足迹……

与此同时,卡门行动队也赶到了凡尔赛宫的皇家花园。

很快,卡门在小伙伴们的帮助下开始猛烈地摇晃
国王陛下的柠檬树。

"它们长得真好看,但一点儿也不好吃!"小胖墩
嘟囔着。

"老土了吧! 这是一种非常罕见的水果⋯⋯来自
遥远的东方。"

茂密的树林里，树叶把阳光遮得严严实实的，两个巨大的树妖正在睡觉。

卡梅利多和小伙伴们吓得血液都快凝固了。

在怪物们吃剩下的食物里……居然有骨头！哦不，实在是太可怕了……

突然，鼻涕虫对怪物的毛过敏，一个劲儿地要打喷嚏。

　　两个怪物突然被喷嚏声惊醒了。

　　"哪来的声音？"瓮声怪物竖起树枝一样的耳朵，

"我们被一群小鸡袭击了……"

"你到底把我的朋友怎么样了？可恶的恶魔！"

　　突然，麻布口袋中发出了一阵呻吟，那是大家都非常熟悉的声音！

咩咩咩咩咩

贝里奥！

怪物们拦住了小鸡们的去路。

"再往前走一步,我就吃了你们!屁大点的玩意儿。"

卡门把采摘下来的柠檬装进篮子里，一会儿就能派上用场啦！

她边走边喊："谁要金鸡蛋？ 多好看的金鸡蛋呀，我的金鸡蛋！ 谁要金鸡蛋？"

听到叫卖声，怪物们伸出头来，他们看到满满一篮子的"金蛋"，口水都要流出来了。

"小屁孩，你们是从哪儿找到这些宝贝的？"瓮声怪物贪婪地问。

"这是我的鸡蛋。"卡门机智地说，"我是产金蛋的鸡。每隔几天我就会下一个金蛋，但是我很苦恼，先生们，虽然是金蛋，可我拿它们一点儿用也没有……"

"我们全要了。"怪物们边说边把手伸过去抢"金蛋"。

"想要这些金蛋，你们跟着来拿吧！"卡门一溜烟朝树丛外跑去。

　　混乱中，怪物们没有刹住脚，跟着卡门冲出了树林，一下子暴露在阳光下："啊，啊！阳光！"两个怪物瞬间变成了石头。

站住！打碎了金蛋要你们的命！

小六子警惕地监视着怪物们的动静。
卡梅利多赶紧解开装着贝里奥的袋子。

"我还以为再也见不到你了呢，我的小鸡！"

"你还好吗？没关系吧，我的小羊？"

"我的妈呀！"鼻涕虫惊讶地看着贝里奥的一身金毛，"你浑身珠光宝气的，活像个国王！"

"就是被那讨厌的月光照的，那是千年一次的月光，一照到羊毛上羊毛就变成金的了……多难看呀，就像个守财奴。"贝里奥有点不好意思。

奇迹般脱险的小羊紧紧抱住卡门,庆祝自己重获新生。
"我的宝贝,你真是最棒的小鸡!"

　　而小胖墩在另一边摆着夸张的姿势向伙伴们吹嘘
着:"这个……刚才怪物在我脚下苦苦哀求说,'胖哥,
求求你,饶了我吧! 我家里还有老婆和孩子呢……'"

小鸡们争先恐后地与贝里奥拥抱、挠痒痒，尽情地享受着重逢的欢乐。

"我快被幸福填满了，如果没有这身该死的金羊毛就更好了！昨天，你们还在帮我逃避剪羊毛，可现在，没有什么比回到羊倌那里更让我高兴的事了。"

傍晚，在农场里……

剪呀剪，剪羊毛。小乖乖，不要跑。我剪呀剪，剪呀剪！一个个光屁股，真难看呀，真难看。

46

至于皮克和尼克,他们被国王的牙签匠把身上的刺都拔光了,尴尬地逃出了凡尔赛宫……

　　"月光下,我们发誓,永远都是好朋友!嗯,贝里奥?"
　　"我保证!如果哪天我们不再是好朋友,那一定是我死了!"

　　好长一段时间的沉默后,贝里奥脑子里突然蹦出一个问题:"不知道那些金羊毛都用来干什么了?"

在凡尔赛宫……

"谢谢你,我的羊倌,它让我觉得优雅极了!"
法国国王路易十四说。

从那天起,他高兴地宣布了自己的新名号:

太阳王。